じゅげむ

人のなまえといいますものは、
それぞれ親のおもいが
こめられておりまして、
いざつけるときになりますと、
それはいろいろなことを
かんがえるもので、

この家でも、
男の子がうまれまして

……

「おまえさん。まだいいなまえが
おもいつかないのかい」
「おまえだってかんがえてくれよ。
おれにばかりいわないで」
「…どうだろう、
お寺の和尚さんにそうだんしたら」
「そうだ！　それがいい」
てんで、和尚さんに
きくことにいたしました。
お寺の和尚さんといいますと、
いろいろなことをしっておりまして
……。

「こんちは…」

「おや、これはおひさしぶりで、
なにかごようですかな」

「じつは、男の子がうまれたんですが…」

「おお、それはおめでとうございます」

「なまえをつけていただきたくて…」

「なんと、わしになづけ親になってくれと。

それは、うれしい。

で、どんななまえがよいですかな」

「とにかく、めでたいなまえに
していただきたくて…」

「そうですな。では、
鶴は、千年生きると
いいますから、
鶴之助。鶴太郎というのは、
どうじゃな」
「千年てえと、千年しか
生きられないんで…、
そりゃあかわいそうだ。
もっと長いのは、ありませんか」
「亀は万年といいますから、
亀之助。亀太郎というのは、いかがかな」
「万年でもかわいそうだ。
もっと長いのは、ありませんか」
「そうですなあ…
おお、寿限無というのがある」
「じゅげむ…？　なんですか、
毛虫ですか？」

「そうではない。寿、限り、無し、
で、寿限無じゃ」
「へええ、それは、いいですね。
ほかにないですか？」
「五劫のすりきれというのは、
どうじゃな」
「すりきれちゃったら
よくないようなきがしますが…」
「三千年にいちど、天女がまいおりて、
はごろもで、岩をこする。
この岩が、すりきれて
なくなるのが一劫。
これが五つもあるのだから、
かぎりないのと
おなじじゃよ」
「ふええ、すごいもんだ」

「海砂利水魚
というのは、どうじゃ。
海の砂、水に住む魚のかずは、
かぎりがない」
「なるほど」
「水行末、雲来末、風来末、
というのもある」
「胃ぐすりですかあ？」
「そうではない。水のゆくすえ、
雲のゆくすえ、風のゆくすえには、
かぎりがない」
「はあはあ、ほかにはは？」

「食う寝るところに、
住むところ。
人にはなくてはならぬ
大切なものじゃ」
「なるほどねえ」
「むかしから、
やぶこうじという木は、
めでたいものじゃったそうじゃ」
「まだありますか？」

「ふるーい中国に、パイポという国があって、
そこの、シューリンガンという王さまと、
グーリンダイというおきさきに、ポンポコピーと、
ポンポコナーという、ふたりのお姫さまがいて、
これが、たいそう長生きだったそうじゃ」
「ポンポコポンポンポコいって、
おもしろそうだ」
「長く久しい命とかいて、長久命。
まあ、わしなら、
長く助けるとかいて、
長助とでもするかな」
「へえへえ」

「もうこれくらいでよかろう」
「はい、どうもありがとうございました」
いろいろでてきて、おぼえきれませんから、
和尚さんに、かいてもらいまして、
そのなかから
えらぶということになりました。

「ただいま――」
「おかえり。どうだい、おまえさん。
いいなまえをもらえたかい」
「ああ、めでたいなまえを
どっさりもらってきた――。
このなかから、えらべっていうけど、
えらびきれるもんじゃあねえや。
これをみんな、この子(こ)のなまえにするよ。
おれは、きめたよ」
ってんで、ようやく
なまえがきまりました。

ご近所では、お祝いにいこうにも、
子どものなまえがいえなくては
しかたがありませんから、
みんなであつまって、
れんしゅう会が、ひらかれまして、
「いいですか、みなさん
それじゃあ、もういちど…」
「せえの、——じゅげむじゅげむ、
ごこうのすりきれ、かいじゃりすいぎょ、
すいぎょうまつ、うんらいまつ、ふうらいまつ、
くうねるところにすむところ、やあぶらこうじのやぶこうじ
パイポパイポパイポのシューリンガン、シューリンガンの
グーリンダイ、グーリンダイの、ポンポコピーの、
ポンポコナーの、ちょうきゅうめいの、
ちょうすけ。ふ——」
「さあこんどは、字をみないでやりましょう」
ってんで、まあたいへんなさわぎです。

こういうものは、
おとなよりも、子どものほうが、
ずっとはやくおぼえてしまうもんで、
「おじちゃん、おばちゃん。
赤ちゃんみにきた」
「おお、おお、うれしいねえ。
さあさあ、あがってあがって」

ちょうどきげんがわるく、
いくらあやしても、
なきやまなかったところで……、

子どもたちは、
さっそくみんなで、
「ほらほら――っ。
じゅげむじゅげむ、ごこうのすりきれ、
かいじゃりすいぎょ、
すいぎょうまつ、うんらいまつ、
ふうらいまつ、くうねるところに
すむところ、やあぶらこうじの
やぶこうじ、パイポパイポパイポの
シューリンガン、シューリンガンの
グーリンダイ、グーリンダイの
ポンポコピーの、ポンポコナーの、
ちょうきゅうめいの、
ちょうすけちゃーん。
いない、いない、
いない……

…ばあ」

あらっ。
ねてる。

ほんとうに、子宝にまさる宝は、
ありませんもんで、
目にいれても、いたくないんだそうで…
もっとも、ためした人は、おりませんが。

山上憶良のうたに、
「銀も金も玉もなにせむに
まされる宝 子にしかめやも」
というのがありまして、

そうはいっても、
わるさをすることもありまして、
しからなければいけないときもありますが、
それでも、頭をなでてそだてて、
わるい人間になったものは、いないんで、
笑い声のする家が、
いちばんいいようです。

この子も、
めでたいなまえのおかげでしょうか、
病気ひとつしないでそだちまして、
いまでは、わんぱくざかり。
まい日、
近所の友だちと、朝から夕方まで、
外であそんでおりました。

そんなある日のこと、
金坊とチャンバラごっこをやっていて、
けんかになりまして、
金坊になぐられて、
たんこぶをこしらえたんであります。

このようすをみていた、
近所のおかみさん、

「たいへんだよ
たいへん！」
と、いえにとびこんできまして、
おかあさんに、けんかのようすを
しらせたんですが、なにしろ
なまえが長いものですから、
なかなかすぐには、ぜんぶ
せつめいできません。

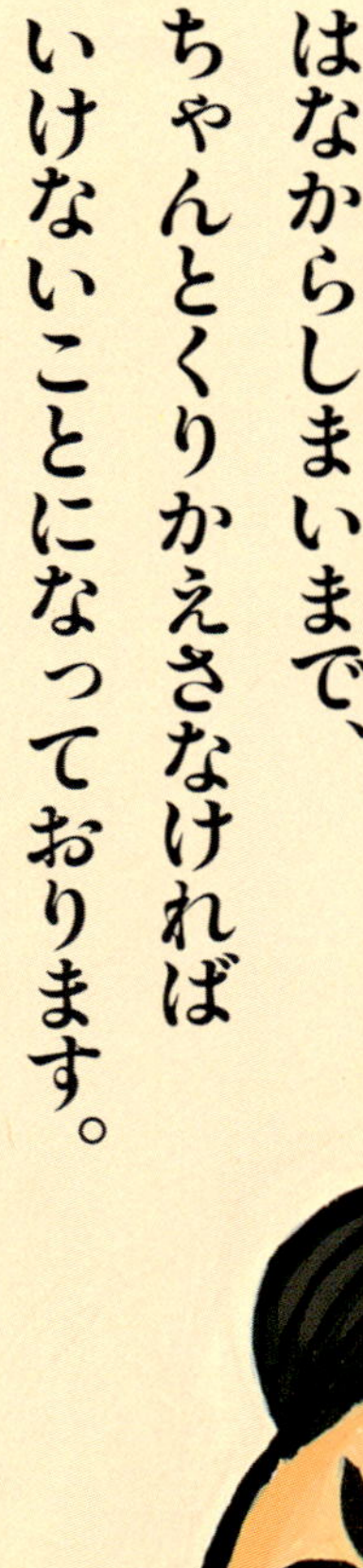

こんなときは、ちぢめて
じゅげむちゃんでも
いいようなものですが、
そこは落語ですから、
はなからしまいまで、
ちゃんとくりかえさなければ
いけないことになっております。

「えーーっ、なんだって！」
おかあさんは、
ようやくびっくりしまして、
こんどはおとうさんに、
けんかのことを
はなしたんでありますが、
これまた、すぐには
ぜんぶせつめいできません。
こんなときは、
きいているほうも
じれったいでしょうが、
そこは落語(らくご)ですから
きくほうもちゃんと
きいてくれることになっております。

「なに――っ!」
と、おとうさんもようやくびっくりしまして、
「それで、――じゅげむじゅげむ、
ごこうのすりきれ、かいじゃりすいぎょ、
すいぎょうまつ、うんらいまつ、ふうらいまつ、
くうねるところにすむところ、やあぶらこうじの
やぶこうじ、パイポパイポパイポのシューリンガン、
シューリンガンのグーリンダイ、グーリンダイの、
ポンポコピーの、ポンポコナーの、
ちょうきゅうめいの、ちょうすけと、
金坊は、どこにいるんだ」
「むこうのあきちだよ」
「よーし、金坊のやろう、
とっちめてやる!」

てんで、あきちへ
すっとんでいきました。
ところが、ついてみると……

ふたりは、
とうになかなおり。
たんこぶも、
ひっこんでおりました。

落語絵本を作った人

川端誠さん

『じゅげむ』は、落語の中で、最もポピュラーな噺でしょう。めでたいからといって、子どもに長ったらしい名前をつけ、急場になってもその名を律儀にくり返す馬鹿バカしさは、落語のナンセンスの典型です。これを、絵本でそのままやってしまいますと、名前のくり返しがそのまま文字となって表れてしまいますから、先がわかってしまって、面白くもなんともなくなってしまいます。

そこで、クライマックスでの名前のくり返しはやめにして、全体で三回の「じゅげむじゅげむ……」にとどめました。みんなで練習しているところ、覚えたての子どもたち、いいなれているお父さん——開き読みしていただくときなんぞに、それぞれ変化をつけて演じていただけると、楽しいと思います。

落語絵本を作っていて気づいたのは、落語には女の子がまったく登場しないということなんですね。そこで『じゅげむ』では、登場シーンを作ってみました。

大人たちが、長い名前を真剣にくり返すというのは、なかなかの皮肉でありまして、何やかやと子どもに口で言って聞かせようとする前に、子の名を何遍でもくり返して、その後にどうしてもいいたいことがあったら……、くらいでいいのかもしれません。

＊「じゅげむ」の名前のなかで、「やあぶらこうじのやぶこうじ」ではなく、「やあぶらこうじのぶらこうじ」ではないのか、というお問い合わせが寄せられてきます。実際の落語のなかでは、どちらも使われているのですが、「ぶらこうじ」で覚えている方が多いようです。落語は口伝ですので、どちらでなくてはならないということはないと思いますが、ヤブコウジ（藪柑子）という木は、冬でも葉が枯れず赤い実をつけるところから、古来より祝い事に用いられておりました。正月などに松竹梅と組み合わせて飾る風習もあったようです。絵本にするにあたり、やはりおめでたい木の名がちゃんと表れているべきと考え、「やあぶらこうじのぶらこうじ」ではなく、「やあぶらこうじのやぶこうじ」といたしました。

かわばた・まこと　1952年生まれ。シリーズごとにテーマや表現技法をかえ、多様な世界を展開している。『鳥の島』『森の木』『ぴかぴかぷつん』『お化けシリーズ』（ＢＬ出版）など著作多数。絵本作家ならではのユニークな絵本解説も好評。落語絵本に『ばけものつかい』『まんじゅうこわい』『はつてんじん』『おにのめん』『めぐろのさんま』『ときそば』（以上クレヨンハウス）、『井戸の茶わん』『ねこのさら』『三方一両損』『芝浜 上』『芝浜 下』（以上ロクリン社）。『芝浜』は絵本初の上下巻となる。

発行日――――1998年4月　第1刷　2025年2月10日　第59刷

発行人――――落合恵子

発行――――クレヨンハウス
東京都武蔵野市吉祥寺本町2-15-6
TEL.0422-27-6759 FAX.0422-27-6907
URL　https://www.crayonhouse.co.jp/

印刷・製本――――大日本印刷株式会社

初出・月刊『クーヨン』1997年8月号